きみはもう見つけたか！ かくれキャラ

そろそろ起きなくて大丈夫？

③

拙者を見つけるでござるよ

未確認生物を発見!?

⑥

どこかで見覚えが…

⑧

池の主かな？

ギラギラ生きた織田信長
GIRAGIRA IKITA ODA NOBUNAGA

文・国松俊英
絵・村田桃香

岩崎書店

目次

はじめに
- これが織田信長だ　　　　　　　　　4
- 戦国時代ってどんな時代　　　　　　6
- 信長の強いライバルたち　　　　　　8

第1章　尾張のうつけもの

尾張の勝幡城で生まれる	12
たった5歳で城主になった	14
「大うつけ者」とよばれる	16
マムシの姫と結婚	18
父の位牌にお香を投げつける	20
対面したマムシは驚いた	22
尾張の統一をはたす	24
動き出した今川義元　桶狭間の戦い　その1	26
すきを見せた今川軍　桶狭間の戦い　その2	28
今川義元を討て　桶狭間の戦い　その3	30

第2章　天下布武の旗じるし

松平元康（徳川家康）との同盟	36
美濃を策で攻めおとす	38
「天下布武」ってなに	40
近江の浅井長政と同盟をむすぶ	42
足利義昭を第15代将軍に	44
副将軍より経済の力をとる	46
フロイスにキリスト教の布教を許す	48
信長に反発する義昭	50
朝倉義景を討ちに越前へ	52
小豆のつつみのなぞ	54
姉川の戦いがおきた	56

第3章　信長は戦の天才

石山本願寺が攻撃をはじめた　　　　　　　60
比叡山の焼き討ち　　　　　　　　　　　　62
室町幕府ほろびる　　　　　　　　　　　　64
長島の一向一揆を平定　　　　　　　　　　66
武田軍をむかえ撃つ　長篠の戦い　その1　68
見たか、鉄砲隊の底力　長篠の戦い　その2　70
毛利水軍にやぶれる　　　　　　　　　　　72
鉄の軍船、毛利水軍に勝つ　　　　　　　　74
天下人の城、安土城　　　　　　　　　　　76
楽市楽座で商売繁盛　　　　　　　　　　　80

第4章　本能寺で死す

西国に向かわない光秀　　　　　　　　　　84
本能寺の変おきる　　　　　　　　　　　　86
明智光秀の三日天下　　　　　　　　　　　88
明智はなぜ謀反をおこしたのか　　　　　　90
　①信長への恨みから　　　　　　　　　　90
　②光秀の大きな野望　　　　　　　　　　92
　③光秀のうしろに黒幕がいた　　　　　　94

第5章　信長をめぐる人物たち

平手政秀／明智光秀　　　　　　　　　　　98
徳川家康／柴田勝家　　　　　　　　　　　99
羽柴秀吉／足利義昭　　　　　　　　　　　100
お市の方／太田牛一　　　　　　　　　　　101
ルイス・フロイス／黒人・弥助　　　　　　102
浅井長政／織田信忠　　　　　　　　　　　103

織田信長の年表　104-105／さくいん　106

コラム　端麗な美少年 34／永楽通宝 58／敦盛 82／三足の蛙 96

これが織田信長だ

　織田信長は、1534（天文3）年5月に、尾張国（愛知県西部地方）の勝幡城で生まれた。尾張の小さな大名だった父・織田信秀のあとをついだ。少年時代、「大うつけ者」とよばれながらも、武芸にはげんだ。そして1558（永禄元）年には、尾張国をほぼ平定した。

　27歳のとき、駿河国の今川義元が2万5千の大軍をひきいて尾張に向かって出陣した。兵の数ではまったくかなわない。信長は部下を使い、今川軍の動きをしっかりつかんでいた。桶狭間山にきた今川軍が、ゆだんして休みをとったとき、義元の本陣をおそった。信長は、みごとに今川義元をたおした。この後、松平元康（のちの徳川家康）と手をむすび、美濃の斎藤龍興も攻略した。

　1568（永禄11）年、信長は足利義昭と京に上り、義昭が第15代将軍になるのを助けた。信長は「天下布武」の印を使うようにな

り、ここから武力による国の統一をめざした。信長はどんどん勢力を大きくしていった。おろそかにされた義昭は、不満だった。各地の大名たちに声をかけ、石山本願寺など仏教勢力ともつながり、打倒信長をくわだてた。しかし信長は義昭を京から追放し、宇治で義昭と戦って勝利した。ここで室町幕府はほろびた。

　1575（天正３）年、信長は武田勝頼の軍勢と長篠（愛知県新城市）でぶつかり、強いといわれた武田軍を打ちやぶった。つぎの年1576（天正４）年には、近江の安土に七重五層の城、安土城を築きはじめた。安土の町には「楽市楽座制」をしき、商業をさかんにした。

　信長は大量殺人を平気でおこない、自分に逆らった者には冷酷な仕打ちをした。とても異常なふるまいをして、人をおびえさせたりもした。

　しかし古い制度の廃止や、新しいやり方の導入をたくさんやった。キリスト教の布教を許し、世界に目を向ける新しい感覚をもっていた。めざしていた天下統一の実現には、あと一歩のところまできていた。

　けれど、1582（天正10）年６月、家臣・明智光秀の謀反にあって、京都の本能寺で死んだ。49歳だった。

● はじめに

上杉　謙信
越後

武田　信玄
甲斐

佐竹　義昭
常陸

北条　氏康
相模

今川　義元
駿河

　応仁の乱のあと、室町幕府の力はおとろえて、各地の大名たちは自分の領地を広げようと、戦いをくりひろげていた。そんな大名たちのことを戦国大名といい、彼らがぶつかり合い、戦いをつづけていたころを「戦国時代」とよぶ。その時代は応仁の乱のころから、豊臣秀吉の天下統一までの時期をいう。

信長の強いライバルたち

上杉謙信

越後の守護代、長尾為景の子に生まれた。関東管領の上杉氏から姓と職をゆずられた。上杉謙信と名のる。春日山城（新潟県上越市）を拠点にして、たびたび関東や信濃国に兵を出した。武田信玄、北条氏康と何度もぶつかり、はげしい勢力争いをくりひろげた。信仰にあつく、一生独身をとおした。

今川義元

今川義元は駿河（静岡県）の名門の生まれだった。父今川氏親の死後、兄の氏輝が家督をついだが、24歳で亡くなる。義元は兄弟との争いに勝ち、今川家をついだ。甲斐の武田、相模の北条と三国同盟をむすび、西に勢力をひろげた。さらに信長の尾張国を攻め、領地を広げようとねらっていた。

武田信玄(たけだしんげん)

甲斐(かい)の大名。謙信(けんしん)、家康(いえやす)、信長(のぶなが)らと戦いながら、勢力(せいりょく)をひろげていった。戦もたくみだったが、すぐれた政治(せいじ)家でもあった。大きな川に堤防(ていぼう)をつくったり、鉱山(こうざん)を切りひらいたりして、産業をさかんにした。「風林火山(ふうりんかざん)」のことばを、戦の時の旗じるしとして用いた。「風林火山」とは、「風のようにはやく動き、林のように静かにして、火のようにおかしてかすめ、そして山のように動かずに戦う」という意味である。

毛利元就(もうりもとなり)

安芸国(あきのくに)(広島県(ひろしまけん))を中心として、中国地方の10ヵ国を支配(しはい)した戦国大名。はじめは尼子氏(あまごし)に、その後は大内氏(おおうちし)につかえた。大内氏を乗っとった陶晴賢(すえはるかた)、ついで尼子氏もほろぼして、安芸国と備後国(びんごのくに)を平定した。その後も勢力(せいりょく)を広げていき、中国地方のほぼぜんぶを支配するようになった。

GIRAGIRA IKITA ODA NOBUNAGA

第1章
尾張のうつけもの
OWARI NO UTSUKEMONO

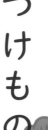

尾張の勝幡城で生まれる

1534(天文3)年

1歳

　織田信長は1534（天文3）年5月、尾張国の勝幡城で生まれた。父は織田信秀、母は土田御前。おさない時の名は「吉法師」だった。

父は、尾張国の守護代、南の四郡をおさめる織田大和守の家来だった。信秀は、南の四郡のひとつ、海東郡をおさめていた。勝幡は木曽川の下流で、肥えた農地があり、交通で重要な津島港があった。とてもにぎわう港で、尾張と美濃、伊勢、京の各地へ、物と人をとどけるだいじな拠点だった。有名な津島神社もあり、神社も門前町もさかえていた。父は、ゆたかな領地で力をつけ、勢いをのばしていた。

尾張の地図

> **ことば**
> 守護代…守護とは、室町幕府が全国を管理するために各地に任命した役人。京都で仕事をする守護のかわりに、実際にその土地を治めたのが守護代。

たった5歳で城主になった
1538(天文7)年

5歳

　信長が生まれて4年後、父・信秀は、名古屋を攻め、那古野城を手にいれた。そしてそこの城主に、5歳の信長をすえた。那古野城のすぐ前の城主は今川氏豊だった。とりもどそうと攻めてくるかもしれない城を、

信長にまかせたのである。
　信秀は５歳の信長のために、４人の家老をつけた。一の家老は林新五郎で、つぎは平手政秀、青山与三右衛門、内藤勝介だった。二の家老・平手政秀が、５歳の信長の守り役となった。平手は信長に、城での生活のしかた、城主としてのふるまい方などを、一から教えていった。

ことば
家老… 大名や武家の当主に仕える家臣団の中でももっとも上の役職。

「大うつけ者」とよばれる

1547（天文16）年

14歳

信長の初陣は14歳、三河の吉良大浜へ出陣した。
少年・信長は、古いしきたりやめんどうな決まりが大きらいだった。服装はいつもだらしなく、着物の片そでをぬぎ、すそが短い半ばかま姿だった。腰には、

火打ち石の袋やひょうたんを下げていた。町では、人が見ていても平気で、カキやウリにかぶりついた。下品な若君のふるまいに、だれもがあきれていた。人びとは信長を、「大うつけ者（大ばか者）」とよび、あの若君では先が心配だとなげいた。そんな声にも、信長は平気だった。

マムシの姫と結婚

1549（天文18）年

16歳

尾張国のまわりには、力のある国がいくつもあり、攻撃をしかけようとねらっていた。敵の中では、東の今川義元と西の斎藤道三が、強くて、大きな敵だった。道三は、マムシの名がある怖い大名だ。道三と、どう

つき合うのか、父・信秀はいつも考えていた。家来の平手政秀に相談すると、彼は道三との和平案を考えてきた。信長の姉を道三の元にとつがせ、つぎは信長と道三のむすめを結婚させるのだ。

　信秀は、その案に賛成した。政秀は結婚の話をまとめた。マムシのむすめ・濃姫は尾張国にとついできて、信長の正室となった。信長16歳のときである。

父の位牌にお香を投げつける
1551（天文20）年
18歳

　1551（天文20）年3月、父・信秀が亡くなった。葬儀は万松寺でおこなわれた。300人のお坊さんがお経をとなえ、参列の人の長い列ができた。

　そこに信長があらわれた。信長の頭は、紅色の糸で

しばった"茶せんまげ"だ。はかまはつけず、太刀と脇差を腰の縄にさしていた。仏前に進んだ信長は、お香を右手でつかみ、父の位牌に向かい、力いっぱい投げた。

　人びとはおどろき、「やっぱり、信長は大うつけ者」とささやきあった。この時、弟の信勝も参列していたが、礼儀正しく、正装だった。人びとの多くは、「信秀の跡つぎは、信勝がふさわしい」と話した。

対面したマムシは驚いた
1553(天文22)年
20歳

　娘を信長にとつがせた斎藤道三は、"彼が大うつけ"というウワサを聞いた。自分の目で確かめようと、木曽川に近い寺で会うことにした。道三は先にきて、寺の近くの家に隠れていた。兵ときた信長は、袖のないゆかたかたびらに、半ばかま。腰の縄に刀と脇ざしを差した品のない姿だった。

その後、寺で正式に対面した。

出てきた信長を見て、道三は驚いた。髪はきちんと結い、長いはかまで、腰には小刀をさしていた。前とは、まるで別人だ。受け答えも堂々としていた。

帰り道、家臣はいった「信長はうわさ通りの"大うつけ者"ですな」。道三はこたえた。「信長は恐ろしい若者だ。わしの子どもの時代になれば、美濃は"大うつけ者"の軍門に降るだろう」。

尾張の統一をはたす

1558（永禄元）年

25歳

　信長を倒し、自分が織田家の跡つぎになろうとする者は多くいた。つぎつぎに戦をしかけてきたが、多くは失敗に終わった。1558（永禄元）年、織田伊勢守家の主・織田信賢も挑戦してきた。信長は浮野の合戦で

勝ち、信賢が逃げた岩倉城を囲んだ。逃げられないようにし、食料の補給を断って、ほろぼした。

実の弟・信勝も、跡つぎになりたい一人だった。信勝を討たないかぎり、尾張の統一はない。信長は仮病をよそおい、病気の見舞いを口実に、信勝を清洲城に招いた。そして城にきた信勝をとらえ、亡きものにした。

信長は尾張統一をなしとげたのだった。

OWARI NO UTSUKEMONO

動き出した今川義元
桶狭間の戦い その1

1560（永禄3）年

27歳

　前から尾張国をねらっていた駿河の今川義元は、鳴海城主の山口教継が今川方に寝がえり、「攻めこむ時がきた」と出陣をきめた。1560（永禄3）年5月12

日、義元は軍をひきいて駿府を出陣した。「まず、尾張の南半分を頂く」。その先に、天下一になる野望があった。6日後、先行隊は鳴海城に入り、松平元康（のちの徳川家康）は、兵糧を大高城にはこびこんだ。

信長は、鳴海城と大高城の連絡を断とうと、二つの城の中間に、とりでをつくった。さらに、鳴海城の北と南にもとりでを築いた。19日のあけ方、清洲城の信長は湯づけを食べ、馬で清州城を飛びだした。信長につづいたのは、たったの5騎だった。

すきを見せた今川軍
桶狭間の戦い その2

1560(永禄3)年

27歳

　5月19日のあけ方、清洲城を出た信長は、熱田神宮で戦勝の祈願をした。信長の軍勢は千にふくらんでいた。信長は簗田政綱に、義元の動きを、早く、細かく知らせよと命じていた。今川軍を急襲するため、本

隊の動きを手にとるように知りたかったのだ。信長が善照寺砦から下るころ、空が暗くなってきた。今川軍の兵士は、桶狭間山で昼食の休みをとっているのだろう。空はますます黒くなり、雨風は強くなった。この天気なら、敵にこちらの動きは見えない。よいぞ。

　信長軍は、じりじりと斜面を上っていった。横なぐりの雨の中に、頂上が見えてきた。今川軍の本陣だ。敵の兵は、多くが仮小屋か、林の中で雨宿りしている。二千の全軍がとまり、総攻撃の準備がととのった。

簗田政綱

ことば

熱田神宮…愛知県名古屋市にある、古くから朝廷や武家に信仰された神社。
簗田政綱…戦国時代の武将で織田信秀・信長の親子二代につかえた家臣。

今川義元を討て
桶狭間の戦い その3

1560(永禄3)年

27歳

　信長たちが、桶狭間山まできた時。まっ暗になった空から、大きな雨つぶがはげしく落ちはじめ、強い風が吹いてきた。カミナリも鳴っている。
　信長は、全軍に攻撃を命令した。信長と兵は、豪雨と強風をはねかえすように、はげしい勢いで今川の本陣に突進していった。豪雨の中、とつぜんあらわれた織田の兵に、今川軍はおどろいた。あわてた兵たちは、

武器をもたず、みんな勝手な方向へ逃げだした。
　信長の一番隊が今川の本陣に向って、突進する。陣幕のかげから、男たちにかつがれた輿が出てきた。輿の上にいる大将らしき男は、義元だ。
　「義元がいたぞ！」見つけた服部小平太が、ヤリで突進していった。けれど義元にかわされ、太刀で斬られた。かわった毛利新介が斬りかかり、義元の首をあげた。総大将が討たれた今川軍は、大混乱となった。
　信長は、逃げる今川軍は追わなかった。織田の兵を集め、清洲城に帰ることに決めた。桶狭間の決戦は、あっという間に終わった。

OWARI NO UTSUKEMONO

第1章 尾張のうつけもの

GIRA GIRA IKITA ODA NOBUNAGA

コラム

端麗な美少年

　信長は13歳になって、尾張の古渡城で元服し、つぎの年には、三河吉良大浜で初陣をかざりました。初陣の時の、よろい姿の初々しい武者すがたの絵がのこっています。色が白く、端麗な美少年だった信長を描いたものです。そんな信長を、「女の子よりも美しい」とまわりの者は、見とれていたそうです。

　美少女とまちがえられる少年の信長は、地元津島神社の祭礼の折、天人の仮装をし、小鼓を打って、女踊りをしました。元服の後、信長は自分が美少女とはやされていることを恥ずかしいと感じ、反発するようになりました。そして、わざとだらしない格好をし、乱暴にふるまうようになったと思われます。

松平元康（徳川家康）との同盟

1562（永禄5）年

29歳

　松平元康（のちの徳川家康）は、おさないころ、今川家の人質となった。19歳になっても元康は義元の人質で、今川軍に従軍していた。ところが桶狭間で義元は討たれ、元康はやっと今川氏から独立することができた。三河国・岡崎の城主として、自由に動けるようになったのだ。伯父の水野信元が、同盟のことも考え、元康と信長の仲介の労をとってくれた。

　1562（永禄5）年1月、元康と信長は、清洲城で会った。元康は子ども時代、織田家の人質で、少年の信長と生活をしたことがある。13年ぶりの再会だった。二人は同盟をむすんだ。信長には東方からの攻撃の恐れがなくなり、元康にとっても西方への心配がなくなって、東三河統一に力をそそげるのだった。

美濃を策で攻めおとす

1567(永禄10)年

34歳

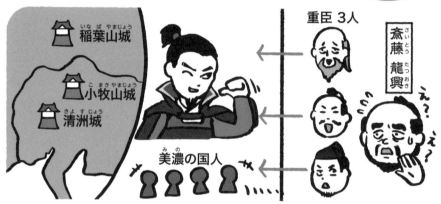

松平元康と同盟をむすんだ信長は、美濃の斎藤龍興の攻略のやり方を考えた。信長は、美濃に近い小牧山に小牧山城をつくって、足場にした。信長が力を入れたのは、龍興の家来たちの切り崩しだった。中美濃・東美濃の国人らを、どんどん味方に引き入れたのだ。

> **ことば**
> 国人…幕府に対抗する力をもった地方の有力者。地頭や荘官といった、荘園の管理や治安維持をまかされた役人。

　信長のやり方はとても巧みだったので、龍興の許から兵法家の竹中半兵衛が寝がえり、美濃の重臣３人も龍興をうらぎり、信長方についた。信長は稲葉山城を孤立させ、龍興はにげ出した。

　こうして美濃を手に入れることができたのだ。信長は、稲葉山城を「岐阜城」と名づけ、稲葉山とふもとの井の口の町をあわせ、地名を「岐阜」にあらためた。

> **ことば**
>
> 斎藤龍興…美濃（現在の岐阜県）の戦国大名。斎藤道三を殺して織田信長と対立した斎藤義龍の子。家臣の信頼を得られず、信長に滅ぼされた。

「天下布武」ってなに

1567（永禄10）年

34歳

　岐阜城の城主になった信長は、正式な手紙や書類に、「天下布武」の印をおすようになった。「天下布武」とは、天下に武をしく、つまり武力で天下をおさめるという意味だ。このことは、信長が、はっきり天下統一をめざすようになったことをあらわしている。

　印を文書に押すことは、古代の日本からあった。けれど多くは、お役所の文書だった。個人で印をおす習慣は室町時代まではなく、個人の書類には花押というサインが使われていた。けれど、戦国時代にはいると、駿河の今川や相模の北条などが花押のかわりに、印を使いはじめた。武家が使ったのは大きな印で、手紙や書類に威厳をもたせるためだった。

〈足利一族の花押〉

足利義輝　足利義澄　足利義教

第2章 天下布武の旗じるし

GIRA GIRA IKITA ODA NOBUNAGA

近江の浅井長政と同盟をむすぶ

1567（永禄10）年

34歳

　1567（永禄10）年9月、美濃を攻めおとした信長は、妹・お市の方を浅井長政にとつがせた。この結婚により、織田家と浅井家は同盟をむすぶ。長政は、美濃のとなり、近江の湖北地方をおさめていた戦国武将

政略結婚

だ。長政と同盟をむすべば、北近江からおびやかされることはなくなる。長政にとついだ妹のお市の方は、信長の13歳年下。美しい女性だったといわれる。

　この結婚は、戦国時代に多くあった政略結婚である。お市と長政との間には、茶々（豊臣秀吉の側室）、初、江（徳川秀忠の正室）などの子が生まれた。

ことば

政略結婚…戦国時代には他の家との関係を良くするため、一族の女性の政略結婚がよく行われた。

足利義昭を第15代将軍に

1568（永禄11）年

35歳

　1568（永禄11）年7月、足利義昭からの使者が、信長の元にやってきた。勢いのある大名の信長に、義昭を守りながら、京へ同行してもらいたいとたのんできた。義昭は京へ上り、なんとかして室町幕府の将軍になろうと考えていたのだ。信長は承諾した。

第2章 天下布武の旗じるし

京へのとちゅう、上洛をはばむ近江の大きな勢力、六角義賢が出てきた。戦の結果、六角は敗走し、敵は勝龍寺城の岩成友通がのこった。岩成勢も追いはらい、信長たちはぶじに京に入ることができた。信長は、畿内（山城、大和などの5ヵ国）のほとんどをおさえた。そんなころ、第14代将軍・足利義栄は病気で亡くなり、義昭はめでたく第15代将軍になった。

> **ことば**
>
> 六角義賢・岩成友通…
> 六角義賢は南近江（現在の滋賀県南部）の戦国大名。岩成友通は京都を支配した三好氏の家臣。

副将軍より経済の力をとる

1568（永禄11）年

35歳

　足利義昭は、信長のたすけで室町幕府の将軍になることができた。そのお礼として、信長に副将軍か管領になってくれといってきた。信長は、どれも断った。「それより、堺・大津・草津に、代官をおかせてほしい」と願いでた。堺は南蛮貿易の足がかりとなる港町、大津には琵琶湖南の港と宿場がある。草津は東海道と中山道の分岐する町で、物品流通がさかんだった。

　三つの地を領地にすることで、商業地支配の権利、税金がはいる権利が得られる。名誉よりそっちの方が、天下統一のためになる。信長はそう考えた。三つの地を自由に支配できるようになり、信長の経済力は、どの戦国大名よりも大きくなり、強力となっていった。

ことば

副将軍・管領…
副将軍は将軍を助ける役職、管領は将軍の家臣のトップにあたる役職のこと。
室町時代ではどちらも将軍の次に重要な役職とされた。

フロイスにキリスト教の布教を許す

1569(永禄12)年

36歳

　信長は、義昭のために「二条御所」の建設をしていた。その工事現場に、ひとりの宣教師がやってきた。ポルトガル人のルイス・フロイスだ。フロイスは、イエズス会の宣教師。1563（永禄6）年に日本にきて、日本語を学びながら布教活動をしていた。信長は、宣教師に質問をした。
「日本人をどう思っているか」
「日本は、世界の中で、どこにあるのか」「フロイスが生

まれた国はどんな国か」「そなたは日本へ何をしにきたのか」……。信長の質問に対し、フロイスが下手な日本語で答えると、信長はいった。「そなたは、キリスト教布教の許可がほしいのだろう。布教を許そう。そのかわり、京にきたときには、わしに外国のことを教えるのだ、よいな」。こうしてフロイスは、キリスト教の布教を許されたのだった。

ことば

二条御所… 将軍になった足利義昭のために信長が京都に建てた屋敷。義昭が後に信長と対立し追放されると解体され、資材は安土城に使われた。

GIRA GIRA IKITA ODA NOBUNAGA

信長に反発する義昭

1570(元亀元)年

37歳

　1570(元亀元)年正月、信長は将軍の義昭に対し、「おきて書」を出した。それには、将軍は何をやるのでも、信長の許しが要る。許しをもらって初めて、将軍は動いたり、発言ができると書いてあった。信長は、

将軍・義昭には何の力もなく、飾り物でよいと考えたのだ。たしかに、信長の武力が将軍の地位を支えていた。

義昭の中で、信長の自分への対し方、扱い方への不満と反発心が、日ごとに大きくなっていた。義昭は、信長を敵だと考えている浅井、朝倉、武田、上杉ら戦国大名たち、比叡山や石山本願寺らの宗教勢力に連絡をとった。そして、信長ぬきで義昭の室町幕府の体制をつくろうと計画を立て、動きだしたのだった。

TENKAFUBU NO HATAJIRUSHI

朝倉義景を討ちに越前へ

1570（元亀元）年

37歳

　1570（元亀元）年。信長は畿内周辺の大名たちに、京にきて朝廷と幕府にあいさつせよと、ふれ書きを送った。各地の大名は上洛したが、越前の朝倉義景はこなかった。信長は、朝倉が将軍・義昭とつながり、反信長の強い勢力をつくるのを恐れていた。

　4月になって、信長はついに朝倉を征伐する軍をつくって出陣した。朝倉のいる越前一乗谷を攻める前に、越前敦賀の天筒山城、金ヶ崎城など朝倉の城をつぎつぎに落とした。あとは、木ノ芽峠をこえ一乗谷に攻め入るだけだった。そのとき伝令が走ってきて、小谷城のお市の方からの差し入れを届けた。それは布でつつんだ筒状のもので、両はじはひもでむすばれていた。中には、何がはいっていたのか。

第2章 天下布武の旗じるし

小豆のつつみのなぞ

1570（元亀元）年

37歳

　お市から信長へのつつみには、小豆が入っていた。「浅井がうら切った、と市は知らせてきた」。信長はいった。つつみの小豆は、織田・徳川の軍だ。つつみの片方のひもは朝倉で、もう一方のひもは浅井だ。つまり、浅井がうら切ったので、織田・徳川軍は、はさみ撃ちにされるという意味だ。それを、小豆のつつみは知らせてきたのだった。

　織田・徳川軍は、すぐに兵を引きあげないと、全員がやられる。逃げるときにいちばん危険なのは、最後尾だ。だれを最後尾にするか、信長が考えていると、木下藤吉郎（のちの豊臣秀吉）が手を挙げた。「わたしがしんがりをつとめます。殿、すぐにお逃げください」。うなずいた信長は、馬に飛び乗ると走り出した。

信長は近江との国境をこえ、水坂峠から朽木谷に入り、京をめざした。

姉川の戦いがおきた

1570(元亀元)年

37歳

　ぶじに京へ逃げ、岐阜にもどった信長は、すぐに反撃の準備をととのえた。そして近江にはいった信長は、浅井の小谷城下に火を放ち、横山城をせめた。織田軍には家康が、浅井軍には朝倉景健が応援にやってきた。そして、織田・徳川軍と浅井・朝倉軍は、琵琶湖にそそぐ姉川をはさんで、にらみ合った。そして戦がはじまった。はじめは浅井軍が織田軍をおしていたが、徳川軍が朝倉軍をやぶり、織田・徳川軍の勝利となった。浅井・朝倉軍は敗走し、小谷城へにげこんだ。しぶとい浅井・朝倉軍は、この後も信長を苦しめることになる。

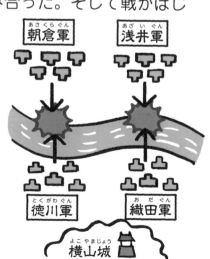

第2章 天下布武の旗じるし

GIRA GIRA IKITA ODA NOBUNAGA

コラム

永楽通宝
えい らく つう ほう

　信長は、戦場で目じるしになる旗に、永楽銭（永楽通宝）をかきました。永楽通宝は明（中国）で発行されていた銅銭で、室町時代から日本に輸入され、通貨として使われていたものです。永楽銭を旗じるしにしたのは、「銭の力で天下をとってやろう」という信長のつよい意志をあらわしたものでした。

　信長は、岐阜や安土の城下町で「楽市楽座」をおこないました。そこには、商売をする人や物があつまってきます。そのにぎわいがまた人を呼ぶことになるのです。市場では明から輸入した永楽通宝が使われました。市場がさかんになると、信長には市場から矢銭（軍資金）が入ってきます。市場で永楽通宝のやりとりがふえればふえるほど、信長の経済力は高まるのでした。

石山本願寺が攻撃をはじめた
1570（元亀元）年

37歳

　1570（元亀元）年9月、石山本願寺は織田の陣営に攻撃をはじめた。この時にはじまった石山合戦は、1580年に講和がなるまで約10年もつづいた。戦が長くなった理由の一つは、本願寺が各地の浄土真宗門徒たちに、立ちあがれとよびかけたことだ。二つめは、本願寺が反信長の大名や、仏教勢力とむすびついて戦をやめようとしなかったからだ。

天満が森

第3章 信長は戦の天才

　長い間、信長に抵抗しつづけてきた石山本願寺だったが、各地の布教の拠点や武家の勢力は信長に平定された。信長も石山本願寺との決着をのぞんでいたところ、朝廷が両者に和平案を示した。
　信長は和平案を受け入れ、徹底抗戦の態度を示していた石山本願寺も開城することとなった。

> **ことば**
> 石山本願寺…現在の大阪府にあった浄土真宗の寺。多くの信徒から集めた資金や政略結婚によって全国の諸大名と同盟し、大きな権力を持った。

比叡山の焼き討ち

1571（元亀2）年

38歳

1571（元亀2）年9月。近江に出陣した信長の軍は、比叡山のふもとで、延暦寺の僧坊や宿坊のある坂本の町に火を放った。日枝山王社本殿も焼きはらった。
　信長は、比叡山山上の本坊や根本中堂などは焼いていないようだ。そのころ、仏教の僧侶たちの行いや堕落ぶりはひどいもので、信長はそれを憎んでいた。また比叡山延暦寺が、反信長の浅井・朝倉軍にとりでをつくらせるなど、力をかしたことにも怒っていた。それが比叡山への武力行使となったのだ。信長の比叡山焼き討ちに対し、仏教の人たちの反発はとても大きく、信長を「仏敵（仏教の敵）」とののしった。

ことば

比叡山延暦寺…滋賀県にある天台宗の総本山。歴史的に多くの名僧が修行した地であるが、武装した僧侶が実際に戦闘することでも有名であった。

室町幕府ほろびる
1573(元亀4)年

40歳

　信長に敵意をいだき、いつかたおそうと考えていた足利義昭は、1573（天正元）年、ついに兵をあげた。ところが、たよりにしていた武田信玄が病死してし

> **ことば**
> 真木島城… 京都府にあった城で、巨大な池沼に浮かぶ島の上にあった。城主の真木島昭光は足利義昭の側近で、義昭にこの城での籠城を勧めた。

まった。信長軍は京に入り、義昭の支配地の上京に火を放った。義昭は京から逃げて、宇治の真木島城で挙兵した。しかし、織田軍に敗れて、追放の身となった。ここで237年つづいた室町幕府はほろんだ。

　よく月、信長は浅井の小谷城を攻め、応援にきた朝倉勢とはげしくぶつかった。織田軍は越前一乗谷まで朝倉を追いかけ、朝倉は自刃した。小谷城は、秀吉が攻略した。浅井長政は、お市の方とむすめを逃がした後、城で自害したのだった。

第3章 信長は戦の天才

ことば

朝倉義景… 越前（現在の福井県）の戦国大名。足利義昭の上洛に協力しなかったため、義昭は信長をたよった。その後、浅井氏とともに信長と対立した。

GIRA GIRA IKITA ODA NOBUNAGA

長島の一向一揆を平定

1574（天正2）年

41歳

朝倉氏がほろんだ後、越前は一向宗が支配するようになった。各地で一揆がさかんにおきた。一揆をしずめたいと考えた信長は、伊勢長島の一向一揆にねらいを定めた。ここは、一向宗の大きな拠点であり、門徒

は10万人いるといわれていた。信長は、三度も攻撃をはねつけられていた。

　1574（天正2）年、信長軍は長島に向かった。いくつかの城を攻め落とし、門徒たちを長島城へおいこんだ。城をとり囲んで、兵糧攻めにした。籠城している者の命は助けるのが条件だった。しかし、舟で城から出る者を、織田軍は銃で一斉に撃った。一揆の人たちは怒り、猛反撃してきた。信長も応戦し、残ったふたつの城に火を放ち、全員を焼き殺した。長島一向一揆は、とても痛ましい結果で終わったのだった。

> **ことば**
> 一向一揆… 一向は浄土真宗、一揆は反乱や借金の帳消しなど同じ目的を持つ武士や農民の集団活動を指す。つまり、宗教的な武装蜂起のこと。

第3章　信長は戦の天才

武田軍をむかえ撃つ長篠の戦い その1
1575（天正3）年
42歳

　武田信玄は1573年に病死したが、死んだことは遺言により隠されていた。跡つぎの勝頼は軍をひきい、前は武田の城だった三河の長篠城をうばい返そうと兵をあげた。兵力は、騎馬隊をふくめ約1万5千人。それを知った家康は、信長に援軍をたのみ、織田・徳川連合軍は、約3万5千人となった。

　1575（天正3）年5月21日、両者は、城の西、設楽原でぶつかりあう。武田軍は騎馬隊で相手をけちらし、織田軍は長いヤリで相手をたおすのが戦法だった。信長軍は、千丁の鉄砲を用意し、鉄砲隊で武田に対抗しようとしていた。さらに信長は陣の前に馬防柵をつくり、土塁をきずいて、守りをしっかりかためた。

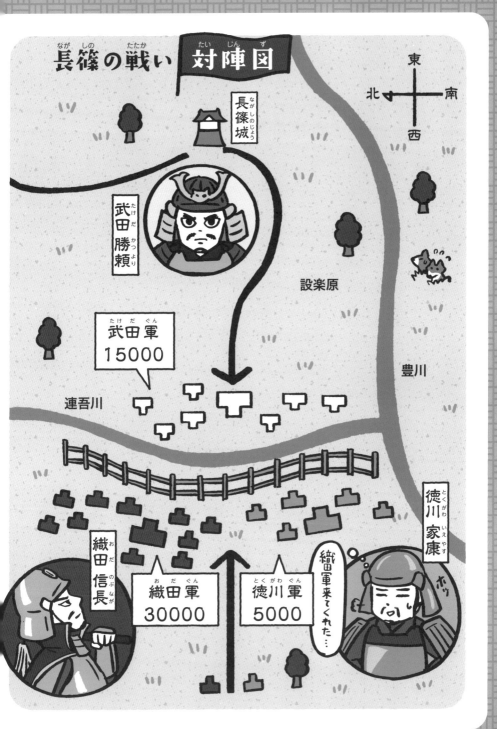

見たか、鉄砲隊の底力
長篠の戦い その2
1575（天正3）年

42歳

　先に戦場に着いた武田軍は、軍議を開いた。山県、馬場らの武将は、戦はやらずに撤退しようと勝頼にいった。しかし跡部、長坂らの武将は、対決を主張した。勝頼は、対決する方をえらび、戦うことを決めた。
　決戦の前夜、徳川方の酒井忠次は、奇襲作戦で鳶ヶ巣山砦をうばった。それで、長篠城をとりかこんでい

た武田の兵をけちらしたのだ。

　よく5月21日、両軍は激突した。武田の騎馬隊が進撃していくと、馬防柵で突進を止められた。そこを織田の鉄砲隊が一斉に射撃した。鉄砲隊は「三段撃ち」をしたとされていたが、三段撃ちはなかったようだ。むかしの火縄銃では、一斉射撃をつづけてやるのは、不可能だったのだ。

　しかし織田軍・鉄砲隊の攻撃力は、大いに発揮された。ヤリより射程が長い火縄銃はつよい。まず馬防柵で武田軍の突進をとめる。つぎに長いヤリでしとめる戦法を使って、有利に戦った。武田軍の騎馬隊は、馬防柵で力が出せない、そこを鉄砲とヤリで攻撃され、何もできなかった。武田軍は、兵士1万5千人のうち1万人が討ち死にした。織田・徳川軍の圧勝となった。

毛利水軍に やぶれる
1576（天正4）年

43歳

　信長と本願寺は、戦をくり返していた。1576（天正4）年、信長の包囲網がつくられ、また大きな戦いがはじまった。信長は、みずから兵をひきいて本願寺を攻め、寺を包囲した。3ヶ月がたって本願寺では兵糧が乏しくなってきた。その危機をすくおうと、毛利水

第3章 信長は戦の天才

軍が淡路島から兵糧をどっさり積んで本願寺に向かってきた。そして、大坂湾の木津川河口で、織田水軍とぶつかった。毛利水軍は手投げ爆弾と火矢をつかい、織田の船を多く沈めた。その結果、毛利の大勝利となり、本願寺への兵糧はこびは成功したのだった。

信長はくやしくてならなかった。天正4年7月の毛利水軍との敗戦は、信長の面目を失うものだった。

ことば

毛利水軍…
中国地方の戦国大名毛利氏直属の水軍。毛利氏の勢力拡大にそって大内氏や村上水軍などを吸収し、一時は瀬戸内海をほぼ支配した。

鉄の軍船、毛利水軍に勝つ
1578（天正6）年

45歳

　1576年の毛利水軍との戦いに敗れた後、信長はどうしても勝ちたいと思った。信長は、巨大でがんじょうな鉄の船をつくることを考えた。それで、熊野水軍をひきいる九鬼嘉隆に、鉄の軍船をつくるように命じた。

　6せきの軍船は、天正6（1578）年に完成した。船は、横13m、長さ24mで、3門の大砲と多くの銃をそなえていた。毛利水軍の手投げ爆弾や火矢にも負けないようにできていた。進水の後、何度も試験をおこない、その年の11月6日、大坂湾・木津川河口に出動した。6せきの軍船は兵糧をはこんできた600せきの毛利水軍の軍船と戦った。手投げ爆弾、火矢をほとんどはねかえし、敵を撃破した。毛利水軍は、大将船がやられ、ちりぢりになって西へにげていった。

天下人の城、安土城

1581（天正9）年

48歳

　1576（天正4）年に築城がはじまった安土城は、1581（天正9）年に完成した。信長が安土をえらんだのは、ここが日本の中心で、中山道、東海道、北国街道など重要な街道が走っていること、琵琶湖の水運が使えること、近くでいい石材が得られるからだ。またここは、低い安土山の全体を使って城を造り、要塞、館をつくるのにふさわしい土地だった。

安土城は、地上6階、地下1階の七重五層の構造で、これまで日本にはなかった壮大で麗しい城だった。完成した年の盂蘭盆会には、城をちょうちんがかざった。湖の入り江には舟が浮かび、馬廻衆はたいまつをかかげた。安土山の頂上に浮かんだ天主のまばゆさに、つめかけた人びとは目をみはり、ためいきをついた。

> **ことば**
>
> 馬廻衆… 総大将の周囲で護衛や伝令を務める。能力あるエリートだけが選ばれ、織田信長はさらにこの馬廻衆の中から直属の軍隊を選抜した。

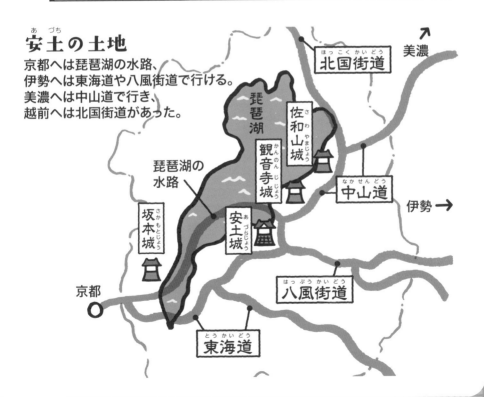

安土の土地
京都へは琵琶湖の水路、伊勢へは東海道や八風街道で行ける。美濃へは中山道で行き、越前へは北国街道があった。

GIRA GIRA IKITA ODA NOBUNAGA

NOBUNAGA WA IKUSA NO TENSAI

楽市楽座で商売繁盛

　1577（天正5）年、信長は安土の町に13ヶ条のおきて書きを出し、「楽市楽座」とよぶ新しい政策をやろうとした。楽市とは、税金がない自由な市場のことで、楽座とは、商売をしたい人ならだれでも自由に商売ができるようにするものだ。古いしきたりにとらわれな

一、この市場に移り住んだ者は、国中を自由に通行してもよい
一、この市場では、むりやり品を買いとること、乱暴なふるまい、けんかをしてはいけない
一、この市場に、武士の使いの者がはいってはいけない

い新しい商工業のやり方だった。それまで商売人には、「座」という組合があり、組合は商売上の特権をふりかざしていた。信長はそれらをなくそうとした。信長はそれらをみんななくし、だれでも商売ができるようにしたのだ。そのほか信長は、関所の廃止や貨幣の対策にも取りくんだ。

その結果、安土には多くの商人が集まり、商売はさかんになり、安土の町はさかえた。

敦盛(あつもり)

　信長は戦いに出発する前に、"人間五十年、下天の内をくらぶれば、夢幻(ゆめまぼろし)のごとくなり……"と謡(うた)いながら舞いました。舞いがおわると、湯づけをかきこんで馬に飛びのり、戦場にむかったのです。
　この時の「人間五十年」の謡(うたい)は、信長がこのんだ幸若舞(こうわかまい)とよばれる芸能(げいのう)で、その演目(えんもく)は「敦盛(あつもり)」といいます。敦盛とは平清盛(たいらのきよもり)のオイで、源氏(げんじ)と対決した一の谷の戦いで戦死しました。この演目を多くの戦国武将たちもこのみました。
　謡の内容(ないよう)は、"人間の一生なんて、まさに夢まぼろしのように、一瞬(いっしゅん)ですぎ去ってしまうもの"という意味です。

西国に向かわない光秀
1582（天正10）年

49歳

　石山本願寺に勝った信長のつぎの敵は、中国地方の毛利だった。1582（天正10）年6月1日、信長は毛利との戦場の中国地方に向かっていた。その日は京の本能寺に泊まっていた。同じ日、明智光秀も1万3千の兵をひきい、亀山城を出発していた。秀吉の応援で中国地方に行けと、信長にいわれたのだ。

　光秀は出陣の前に、いろいろ考えた。「いま秀吉は西国にいる。柴田勝家は北陸で上杉と戦っている。森は越後で滝川は関東だ」。信長軍の武将たちは京から遠くにいて、みんな敵を前にして動けない。「信長を倒すのは、いましかない」。明智光秀軍は西国に向かわず、行く先を京の本能寺に変えて、進軍をはじめた。

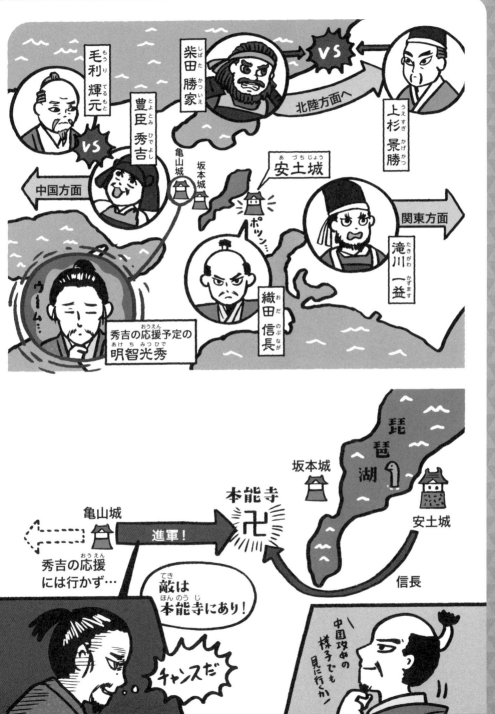

本能寺の変
おきる

1582（天正10）年

49歳

　6月2日の早朝だった。本能寺についた明智軍は、門をあけさせ、兵士たちは寺の中に乱入していった。寝所の信長には、明智軍が襲ってきたことは、まったくわからなかった。しかし寝所まで兵士の叫ぶ声やどなる声、鉄砲の音も聞こえてきた。森蘭丸がかけつけ、明智の謀反だと伝えた。信長は大きな弓をとり、襲っ

てくる兵に向かった。しかしヤリで体にけがをし、室内にもどった。覚悟(かくご)を決めた信長は、殿中(てんちゅう)に火を放ち、炎の中で自害した。遺骸(いがい)は、見つかっていない。

> **ことば**
> 森蘭丸…織田信長に小姓（主君の側にひかえて雑用する人）として仕え、信長によく愛されたという。本能寺の変で二人の弟とともに戦死した。

明智光秀の三日天下

1582（天正10）年

　信長を討った明智光秀は、すぐに安土城に向かった。しかし、橋が落ちて瀬田川が渡れず、坂本城へ帰り、三日後に安土城にはいった。光秀は、一人でも多くの

第4章 本能寺で死す

武将を味方にしたいと工作した。けれど、味方をしようという武将はほとんどいなかった。中国地方の秀吉は、信長の知らせを聞くと、すぐに毛利方と休戦条約をむすんだ。そして備中を発ち、二日で姫路にもどった。そして信長の三男、織田信孝と合流した。

6月13日、光秀は山崎で秀吉軍と戦ってやぶれた。負けた光秀は坂本へ敗走のとちゅう、農民に襲われ、竹ヤリで殺されたという。

山崎の合戦
明智軍 敗戦
「坂本に退散だ！」

ことば
瀬田の唐橋…琵琶湖から流れる瀬田川にかかる橋で、古代から交通の要として戦いの舞台になり、戦国時代には織田信長が現在の状況に整備した。

明智はなぜ謀反をおこしたのか
①信長への恨みから

　光秀は、信長のきげんをそこね、重臣たちがいる場でつよく打たれたり、蹴られたりした。また、ある時、光秀は母親を人質に、敵を降伏させた。けれど信長は約束を破り、敵将を殺した。光秀の母親は敵方に殺された。そして、安土城にきた家康の接待に、光秀の手ぬかりがあったといい、怒った信長はみんなの前で、光秀をせっかんした。何度もそんなことがあり、恨んだ光秀は謀反をおこした、と江戸時代から語られてきた。その多くは、後の時代にできた話で、古い時代の資料には、書いていない。信長と光秀の関係は、とてもよかったと考えるのが正しい。この説はなかったと思われる。

明智はなぜ謀反を
おこしたのか
②光秀の大きな野望

　歴史学者の高柳光寿氏は、『明智光秀』（1958）という本を出し、光秀は恨みから信長を襲ったという説を否定した。そして「光秀は、天下をねらって信長をおそった」と主張した。この光秀の「野望説」が正しいと考える学者は他にもいる。しかし、天下をねらったにしては、本能寺の変の後の光秀の行動を見ていくと、光秀はあまりに無計画で、準備もしていなかった。天下をとることを考えていたのなら、光秀はもっとちがう行動をとったと思われるので、この説も弱い。

明智はなぜ謀反をおこしたのか
③光秀のうしろに黒幕がいた

　本能寺の変の後、朝廷の人の中に、光秀をそそのかしたと疑われる公家がいたとわかった。この説はそこからだ。また15代将軍だった足利義昭も黒幕の一人である。義昭は、室町幕府がほろんだ後も生きのびて、室町幕府を再興したいと願っていた。光秀との関係も深い。そして、本能寺の変がおきた後、光秀を討って天下人となったのは秀吉である。本能寺の変があった時、秀吉は中国地方で毛利と戦っていた。けれど、変がおきると秀吉はすぐに中国地方からもどってきて、山崎で光秀をたおした。秀吉は、光秀に対して謀反をおこすように仕向けていたという説もある。

コラム

三足の蛙

　信長は茶の湯をこのみ、茶の道具にもつよい関心をもっていました。そして香木を焚く香道も、たしなんでいました。香道をたしなむのに、香を焚く道具「香炉」があります。信長もいくつかもっており、お気に入りの香炉は「三足の蛙」といわれるものでした。

　これは、中国の霊獣、足が三本あるヒキガエルです。この蛙は、天災を予知する力があり、縁起がよいとされています。

　本能寺の変の前夜、三足の蛙は信長の危機を知らせるように、とつぜん鳴きだしました。なかなか鳴きやまず、中国の赤色の錦でつつむと鳴きやみました。そして翌日、本能寺は光秀軍によって襲われ、信長は家臣たちとその生涯をおえたのでした。

GIRAGIRA IKITA ODA NOBUNAGA

第5章
信長をめぐる人物たち

NOBUNAGA WO MEGURU JINBUTSUTACHI

平手政秀（ひらてまさひで）
1492〜1553年

織田信秀（おだのぶひで）につかえた重臣で、信長の育ての親ともいえる。5歳（さい）の信長が那古野城主（なごやじょう）になったときに、信長の家老になり、養育係としておさない信長のめんどうをみた。信長の元服（ういじん）や初陣にもつきそった。西の敵（てき）、美濃（みの）の斎藤道三（さいとうどうさん）との和睦（わぼく）を成功させ、信長と道三のむすめ（濃姫（のうひめ））を結婚させた。結婚後も気ままにふるまう信長をいさめていた。しかし信長は、父の葬儀（そうぎ）で位牌（いはい）に抹香（まっこう）を投げつけるなど、その行いを改めなかった。それで切腹（せっぷく）して、信長をいさめたのだ。政秀の死を知った信長は、政秀寺（せいしゅうじ）を建立し彼（かれ）の菩提（ぼだい）をとむらった。

明智光秀（あけちみつひで）
1528〜1582年

戦国時代の武将（ぶしょう）。古い時代の儀式（ぎしき）、典礼、行事などをよく知っていて教養ゆたかな武将（しょう）だった。はじめは斎藤道三（さいとうどうさん）につかえ、つぎは朝倉義景（あさくらよしかげ）にもつかえた。のち信長（のぶなが）の家臣となって、足利義昭（あしかがよしあき）の上洛（じょうらく）に力をつくした。そして義昭や、寺社、公家との交渉役（こうしょうやく）をつとめた。元亀（げんき）2年、近江（おうみ）・坂本城主（さかもと）となり、丹波攻略などに功をたて、亀山城主（かめやま）となった。1582年6月、毛利と戦うために中国地方に出発したはずが、とちゅうで行く先を変えて本能寺（ほんのうじ）に向かい、信長をおそった。その後、羽柴秀吉（はしばひでよし）に山崎（やまざき）の合戦（かっせん）で敗れ、逃げるとちゅう、農民に殺（ころ）された。

第5章 信長をめぐる人物たち

徳川家康
1542〜1616年

江戸幕府をひらいた初代の将軍。岡崎城主の松平家に生まれた。わずか6歳で今川家の人質に出され、少年時代のほとんどを人質として過ごした。けれど、桶狭間の戦いで今川氏が敗れたので、人質生活から解放された。そして信長と同盟をむすび、その同盟は本能寺で信長が自害するまでつづいた。信長亡き後の家康は、秀吉の臣下として仕えた。小田原征伐後、関東へ移るように命じられ江戸に入る。秀吉の死後、家康は関ケ原の戦いで石田三成の西軍に勝利した。1603年征夷大将軍に任じられ、江戸に幕府をひらき、天下の将軍となった。

柴田勝家
1522〜1583年

信長につかえる武将の中で、いちばんの猛将で「鬼柴田」といわれた。1575年、越前の一向一揆を平定した信長から、北陸の支配をまかされた。勝家は、佐々成政、前田利家らをひきいて、加賀の一向一揆も制圧した。そして越前に北の庄城をきずいた。安土城にもおとらない名城だった。越中で越後の上杉景勝と戦っているとき、本能寺の変がおきた。戦の最中で越中を動けず、秀吉に明智光秀をたおす功をゆずった。織田家の跡継ぎ問題では、秀吉と対立し賤ヶ岳で戦って敗れた。さいごは、越前北の庄城で、妻お市の方とともに自害した。

NOBUNAGA WO MEGURU JINBUTUTATI

羽柴秀吉
1537〜1598年

尾張中村の生まれで、信長の足軽・木下弥右衛門の子。1565年信長につかえ、機転がきいてよく動きまわったので、重用されるようになる。はじめ木下藤吉郎を名のり、のちに羽柴秀吉に。1573年、長浜城主となる。本能寺の変後、明智光秀、柴田勝家を倒して、信長の後継者としての地位をつかむ。四国征伐・九州征伐を行い、小田原北条氏を滅ぼして、天下統一をなしとげた。1585年関白、1586年太政大臣となり、豊臣の姓を賜った。

足利義昭
1537〜1597年

第12代将軍・足利義晴の二男として生まれ、興福寺にあずけられて僧侶の道を歩んだ。けれど、兄の第13代将軍義輝が松永氏に殺され、近江に逃亡した。将軍家復興の意志をもち、信長の助力をえて第15代将軍となった。しかし信長とのみぞが深くなり、武田、朝倉、浅井などの戦国大名たちや仏教勢力と信長包囲網をつくる。1573年、信長に京都から追放され、室町幕府はほろんだ。その後、備後に下って毛利氏の保護をうけた。

お市の方
1547〜1583年

　信長の13歳年下の妹といわれる。政略結婚で浅井長政へ輿入れした。長政との間に、茶々、初、江の三女が生まれた。小谷城が落城した後は信長のもとにいて、岐阜城で三人の娘と暮らしたようだ。本能寺の変の後、柴田勝家と再婚した。越前の北の庄城を秀吉に攻められ、勝家とともに自害した。37歳だった。長女の茶々は秀吉の側室・淀君となり、三女の江は徳川家第2代将軍・秀忠の正室となり、3代将軍家光を生んだ。

太田牛一
1527〜1613年

　『信長公記』（織田信長の一代記）は、信長の生涯を調べるためには、なくてはならない大切な史料である。その本を書いたのが太田牛一だ。記憶力がとてもすぐれた人で、ふだんからいつもメモを書いて残していた。江戸時代の初め1603年頃に、記憶やのこしたメモなどをもとに『信長公記』を書いた。信長が亡くなって21年後のことだ。太田牛一は、戦国時代から江戸時代の初めに生きた武士で、戦の記録や、武将の生涯を多く書いている。

ルイス・フロイス
1532〜1597年

イエズス会から日本に派遣されてきた宣教師。日本語を学んで布教活動をはじめる。37歳のとき、二条御所の建設現場で信長と初めて出会い、畿内での布教を許可された。信長とは意外と話が合ったようだ。その後、フロイスは宣教の第一線を離れて、日本でのイエズス会の活動を書いて残すしごとを得た。その後、戦国時代の日本や信長などの印象を細かく書きつづった。中でも有名なのが『フロイス日本史（Historia de Japam）』である。

弥助

イエズス会の巡察師・ヴァリニャーノが、インドから連れてきた奴隷。はじめ信長は、弥助が体に墨をぬっていると疑って、その体を洗わせた。ところが体は白くならず、さらに肌は美しく黒く光った。信長は弥助に大きな関心を示し、自分のそばに置くことにした。弥助は信長にしたがい、本能寺にも同道した。明智軍と戦った弥助は、多くの敵を倒した。戦いのあとは、明智軍につかまった。その後、どうなったかは不明。

浅井長政
1545〜1573年

近江国の戦国大名。1567（永禄10）年ごろ、信長と同盟をむすび、信長の妹・お市の方を嫁にむかえた。しかし信長が越前の朝倉義景を攻めようとした時、長政は反旗をひるがえし同盟をやぶる。そして、足利義昭の反信長勢力のひとつとなる。しかし姉川の戦いでは、織田・徳川連合軍に大きくやぶれた。その後追いつめられ、朝倉がほろびた後に小谷城も攻撃され、自刃した。

織田信忠
1557〜1582年

信長の長男として尾張国で生まれた。信長にしたがって、石山合戦、岩村城の戦い、伊勢長島攻めと各地を転戦した。信長からは生前に、織田家の家督と美濃東部や尾張国の一部をゆずられ、その支配をまかされた。岐阜城主にもなった。信忠は、信長に代わり総帥として指揮をとるようになったのだ。本能寺の変がおきた時、信忠は備中に向かうため京の妙覚寺にいた。信長自害の知らせをうけ、二条新御所に籠城していたが、さいごは自害した。

- 1568（永禄11）年　35歳　●足利義昭を奉じて兵を進め、京に入る。義昭は第15代将軍になる。
- 1569（永禄12）年　36歳　●宣教師・ルイス・フロイスの畿内での布教をゆるす。
- 1570（元亀元）年　37歳　●織田・徳川軍が浅井・朝倉軍と湖北の姉川で戦い、勝利する。
- 1571（元亀2）年　38歳　●比叡山延暦寺を攻め、ふもとの坂本の町を焼き払う。
- 1573（元亀4）年　40歳　●信長は義昭を追放。室町幕府はほろぶ。
- 1574（天正2）年　41歳　●伊勢長島を攻め、長島の一向一揆を平定する。
- 1575（天正3）年　42歳　●長篠の合戦に勝利。家督を信忠にゆずる。
- 1576（天正4）年　43歳　●近江の安土に築城をはじめる。大坂湾で毛利水軍にやぶれる。
- 1577（天正5）年　44歳　●安土で「楽市楽座」とよぶ新しい政策をおこなう。
- 1578（天正6）年　45歳　●鉄の軍船6隻で毛利水軍と戦う。手投げ爆弾と火矢をはねかえし、勝利する。
- 1581（天正9）年　48歳　●安土城が完成する。
- 1582（天正10）年　49歳　●6月2日の早朝、明智光秀の軍が本能寺をおそう。信長は、炎の中で自刃して果てる。

織田信長の年表

※年齢は数え年です。生まれた時に1歳とかぞえ、つぎに新年をむかえた時に年齢がふえるかぞえ方です。

1534（天文3）年　1歳　●5月、尾張国（愛知県西部）の勝幡城で生まれる。

1538（天文7）年　5歳　●父の信秀が、信長を那古野城の城主にすえ、4人の家老をつける。

1546（天文15）年　13歳　●元服し、織田三郎信長と名乗る。

1549（天文18）年　16歳　●信長は、美濃の斎藤道三の娘、濃姫と結婚する。

1551（天文20）年　18歳　●父、信秀が病死。

1552（天文21）年　19歳　●兄弟やおじなどから跡継ぎの地位をねらわれる。

1553（天文22）年　20歳　●嫁の父・斎藤道三と会う。

1560（永禄3）年　27歳　●桶狭間山で今川義元をたおす。

1562（永禄5）年　29歳　●松平元康（後の徳川家康）と清洲城で会い、同盟をむすぶ。

1563（永禄6）年　30歳　●兵士と家族を城下に住まわせ、初めて専業の兵士をつくる。

1567（永禄10）年　34歳　●稲葉山城をせめおとし、稲葉山城の名を岐阜城にあらためる。

さくいん

あ行

- 青山与三右衛門（あおやまよそうえもん）15
- 明智光秀（あけちみつひで）
  5, 84, 85, 86, 88, 89, 90, 91, 92, 93, 94, 95, 96, 98, 99, 100, 102
- 浅井長政（あざいながまさ）42, 51, 53, 54, 55, 56, 61, 63, 65, 100, 101, 103
- 朝倉景健（あさくらかげたけ）56
- 朝倉義景（あさくらよしかげ）51, 52, 53, 54, 55, 61, 63, 65, 66, 98, 100, 103
- 足利義昭（あしかがよしあき）
  4, 44, 45, 46, 47, 48, 49, 50, 51, 52, 53, 64, 65, 94, 95, 98, 100, 103
- 足利義澄（あしかがよしずみ）40
- 足利義輝（あしかがよしてる）40, 100
- 足利義教（あしかがよしのり）40
- 足利義晴（あしかがよしはる）100
- 足利義栄（あしかがよしひで）45
- 安土城（あづちじょう）
  5, 49, 76, 77, 78, 79, 85, 88, 90, 99
- 熱田神宮（あつたじんぐう）28, 29
- 姉川の戦い（あねがわのたたかい）56, 103
- 尼子氏（あまごし）9
- イエズス会（いえずすかい）48, 102
- 石田三成（いしだみつなり）99
- 石山本願寺（いしやまほんがんじ）
  5, 51, 60, 61, 72, 73, 75, 84
- 伊勢（いせ）37, 42, 75, 77
- 伊勢長島（いせながしま）66, 103
- 一乗谷城（いちじょうだにじょう）55
- 一の谷の戦い（いちのたにのたたかい）82
- 一向一揆（いっこういっき）61, 66, 67, 99
- 稲葉山城（いなばやまじょう）38, 39
- 位牌（いはい）20, 21, 98
- 今川氏豊（いまがわうじとよ）14
- 今川義元（いまがわよしもと）
  4, 7, 8, 18, 26, 27, 29, 30, 31, 32, 33, 36, 99
- 岩倉城（いわくらじょう）24, 25
- 岩成友通（いわなりともみち）44, 45
- ヴァリニャーノ（ゔぁりにゃーの）102
- 上杉景勝（うえすぎかげかつ）84, 85, 99
- 上杉謙信（うえすぎけんしん）8, 51
- 浮野の合戦（うきののかっせん）24
- 馬廻衆（うままわりしゅう）77
- 盂蘭盆会（うらぼんえ）77
- 永楽通宝（えいらくつうほう）58
- 延暦寺（えんりゃくじ）62, 63
- お市の方（おいちのかた）
  42, 43, 52, 53, 54, 55, 65, 99, 101, 103
- 応仁の乱（おうにんのらん）7
- 大坂湾（おおさかわん）73, 74
- 大高城（おおたかじょう）27
- 太田牛一（おおたぎゅういち）101
- 桶狭間の戦い（おけはざまのたたかい）
  26, 28, 30, 31, 99
- 桶狭間山（おけはざまやま）4, 29, 30
- お江（おごう）43, 101
- 織田伊勢守家（おだいせのかみけ）24
- 小谷城（おだにじょう）
  52, 55, 56, 65, 101, 103
- 織田信賢（おだのぶかた）24, 25
- 織田信勝（おだのぶかつ）21, 25
- 織田信孝（おだのぶたか）88, 89
- 織田信忠（おだのぶただ）103
- 織田信秀（おだのぶひで）

4, 12, 13, 14, 15, 19, 20, 21, 29, 98
- 小田原征伐（おだわらせいばつ）99
- 尾張統一（おわりとういつ）24, 25

か行

- 花押（かおう）40
- 春日山城（かすがやまじょう）8
- 金ヶ崎城（かねがさきじょう）52, 53, 55
- 亀山城（かめやまじょう）84, 85, 98
- 家老（かろう）15, 98
- 関東管領（かんとうかんれい）8
- 観音寺城（かんのんじじょう）44, 77
- 関白（かんぱく）100
- 管領（かんれい）46, 47
- 木曽川（きそがわ）13, 22
- 北の庄城（きたのしょうじょう）99, 101
- 吉法師（きっぽうし）12
- 畿内（きない）45, 52, 102
- 木下藤吉郎（きのしたとうきちろう）54, 55, 100
- 木下弥右衛門（きのしたやえもん）100
- 騎馬隊（きばたい）68, 71
- 岐阜城（ぎふじょう）39, 40, 101, 103
- 九州征伐（きゅうしゅうせいばつ）100
- 清州城（きよすじょう）25, 27, 28, 31, 36, 38
- キリスト教（きりすときょう）48, 19
- 九鬼嘉隆（くきよしたか）74, 75
- 公家（くげ）94, 98
- 熊野水軍（くまのすいぐん）74
- 顕如（けんにょ）73, 75
- 幸若舞（こうわかまい）82
- 国人（こくじん）38
- 黒人・弥助（こくじん・やすけ）102
- 輿入れ（こしいれ）42, 43
- 小姓（こしょう）87
- 小牧山城（こまきやまじょう）38

さ行

- 座（ざ）81
- 斎藤龍興（さいとうたつおき）38, 39
- 斎藤道三（さいとうどうさん）18, 19, 22, 23, 39, 98
- 斎藤義龍（さいとうよしたつ）39
- 堺（さかい）46, 47, 75
- 酒井忠次（さかいただつぐ）70
- 坂本城（さかもとじょう）77, 85, 88, 98
- 佐々成政（さっさなりまさ）99
- 佐和山城（さわやまじょう）77
- 三国同盟（さんごくどうめい）8
- 三段撃ち（さんだんうち）71
- 四国征伐（しこくせいばつ）100
- 設楽原（したらがはら）68, 69
- 柴田勝家（しばたかついえ）84, 85, 99, 100, 101
- 守護（しゅご）13
- 守護代（しゅごだい）8, 13
- 将軍（しょうぐん）4, 44, 45, 47, 50, 51, 52, 94, 99, 100, 101
- 浄土真宗（じょうどしんしゅう）61
- 勝龍寺城（しょうりゅうじじょう）44, 45
- 勝幡城（しょばたじょう）4, 12, 13
- 信長公記（しんちょうこうき）101
- 陶晴賢（すえはるかた）9
- 政略結婚（せいりゃくけっこん）42, 43, 101
- 関ヶ原の戦い（せきがはらのたたかい）99
- 宣教師（せんきょうし）48, 102
- 戦国時代（せんごくじだい）7, 29, 40, 43, 89, 98, 101, 102

- 戦国大名（せんごくだいみょう）
  7, 46, 51, 100, 103
- 善照寺砦（ぜんしょうじとりで）29

た行

- 太政大臣（だいじょうだいじん）100
- 平清盛（たいらのきよもり）82
- 高柳光寿（たかやなぎみつとし）92
- 滝川一益（たきがわかずます）84, 85
- 武田勝頼（たけだかつより）5, 68, 69, 70, 71
- 武田信玄（たけだしんげん）8, 9, 51, 61, 64, 68, 100
- 竹中半兵衛（たけなかはんべい）39
- 中国大返し（ちゅうごくおおがえし）88
- 茶々（ちゃちゃ）43, 101
- 朝廷（ちょうてい）52, 94
- 津島神社（つしまじんじゃ）13, 34
- 土田御前（つちだごぜん）12
- 敦賀（つるが）52
- 鉄の軍船（てつのぐんせん）74, 75
- 鉄砲隊（てっぽうたい）68, 71
- 天筒山城（てづつやまじょう）52, 53, 55
- 天下布武（てんかふぶ）4, 35, 40, 41
- 天満が森（てんまがもり）60
- 東海道（とうかいどう）46, 47, 76, 77
- 徳川家光（とくがわいえみつ）101
- 徳川家康（とくがわいえやす）4, 27, 36, 37, 54, 56, 64, 68, 69, 70, 71, 90, 99, 103
- 徳川秀忠（とくがわひでただ）43, 101
- 鳶ヶ巣山砦（とびがすやまとりで）70
- 豊臣秀吉（とよとみひでよし）
  43, 54, 65, 85, 88, 89, 94, 95, 99, 100, 101

な行

- 内藤勝介（ないとうしょうすけ）15
- 中嶋砦（なかじまとりで）27
- 長篠城（ながしのじょう）68, 69, 70
- 長篠の戦い（ながしののたたかい）
  68, 69, 70, 71
- 長島の一向一揆（ながしまのいっこういっき）
  66, 67
- 中山道（なかせんどう）46, 47, 76, 77
- 長浜城（ながはまじょう）100
- 那古野城（なごやじょう）14, 98
- 鳴海城（なるみじょう）26, 27
- 南蛮貿易（なんばんぼうえき）46, 47
- 二条御所（にじょうごしょ）48, 49, 102
- 濃姫（のうひめ）19, 98

は行

- 羽柴秀吉（はしばひでよし）84, 98, 100
- 初（はつ）43, 101
- 服部小平太（はっとりこへいた）31, 32
- 馬防柵（ばぼうさく）68, 71
- 林新五郎（はやししんごろう）15
- 比叡山（ひえいざん）51, 62, 63
- 疋壇城（ひきだじょう）53, 55
- 火縄銃（ひなわじゅう）71
- 平手政秀（ひらてまさひで）15, 19, 98
- 風林火山（ふうりんかざん）9
- 副将軍（ふくしょうぐん）46, 47
- 仏敵（ぶってき）63
- フロイス日本史（ふろいすにほんし）102
- 北条氏康（北条）（ほうじょううじやす）
  8, 100
- 北国街道（ほっこくかいどう）76, 77

- 本能寺（ほんのうじ）
 5, 83, 84, 85, 86, 96, 98, 99, 102
- 本能寺の変（ほんのうじのへん）
 86, 87, 92, 94, 99, 101, 103

ま行

- 前田利家（まえだとしいえ）99
- 真木島城（まきしまじょう）64, 65
- 松平元康（まつだいらもとやす）
 4, 27, 36, 37, 38
- マムシ（まむし）18, 22
- 丸根砦（まるねとりで）27
- 水野信元（みずののぶもと）36, 37
- 三足の蛙（みつあしのかえる）96
- 三日天下（みっかてんか）88
- 明（みん）58
- 謀反（むほん）5, 86, 90, 92, 94
- 室町時代（むろまちじだい）40, 47, 58
- 室町幕府（むろまちばくふ）
 5, 7, 13, 44, 51, 64, 65, 94, 100
- 毛利新介（もうりしんすけ）31, 33
- 毛利水軍（もうりすいぐん）72, 73, 74, 75
- 毛利元就（もうりもとなり）9
- 毛利輝元（もうりてるもと）84, 85, 88
- 森蘭丸（もりらんまる）87

や行

- 簗田政綱（やなだまさつな）28, 29
- 野望説（やぼうせつ）92, 93
- 山口教継（やまぐちのりつぐ）26
- 山崎の合戦（やまざきのかっせん）89, 98
- 山城（やましろ）45
- 大和（やまと）45
- 横山城（よこやまじょう）56

ら行

- 楽市・楽座（らくいち・らくざ）5, 58, 80
- 六角義賢（ろっかくよしかた）44, 45
- ルイス・フロイス（るいす・ふろいす）
 48, 102
- 連吾川（れんごがわ）69

わ行

鷲津砦（わしづとりで）27

参考文献

『考証 織田信長事典』東京堂出版
『徹底図解 織田信長』新星出版社
『クロニック戦国全史』講談社
『織田信長合戦全録』中公新書
『信長公記』角川文庫ソフィア

● 著者略歴

文：国松俊英（くにまつ　としひで）

滋賀県生まれ。児童文学作家。創作やノンフィクションを多く書いている。著書に「わざわざことわざ　ことわざ事典」シリーズ（童心社）、『伊能忠敬　歩いてつくった日本地図』『宮沢賢治の鳥』（いずれも岩崎書店）、『星野道夫　アラスカのいのちを撮りつづけて』（PHP研究所）などがある。『ノンフィクション児童文学の力』（文渓堂）の刊行などで、第2回児童文芸ノンフィクション特別賞を受賞している。

絵：村田桃香（むらた　ももこ）

北海道生まれ。イラストレーター、デザイナー。イラストを担当した主な作品に「怪談オウマガドキ学園」シリーズ（童心社）、「すすめ！キケンせいぶつ」シリーズ（学研プラス）、『オニのすみかでおおあばれ』（岩崎書店）、『歴史さがし絵　ノブナガくんをさがせ！』（ポプラ社）などがある。

デザイン：轟由紀（京田クリエーション）

戦国武将にんげん図鑑 ギラギラ生きた 織田信長

NDC210

発行日　2024年10月31日　第1刷発行

文：国松俊英
絵：村田桃香
発行者：小松崎敬子
発行所：株式会社岩崎書店
　　　　東京都文京区関口 2-3-3 目白坂 ST ビル 7F（〒112-0014）
　　　　電話 03-6626-5080（営業）03-6626-5082（編集）
印　刷：三美印刷株式会社
製　本：株式会社若林製本工場

©2024 Toshihide Kunimatsu, Momoko Murata
Published by IWASAKI Publishing Co., Ltd.
Printed in Japan.
ISBN 978-4-265-05979-9　21 cm × 14.8 cm

ご意見・ご感想をおまちしています。Email : info@iwasakishoten.co.jp
岩崎書店ホームページ https://www.iwasakishoten.co.jp

本書のコピー、スキャン、デジタル化等の無断複製は著作権法上での例外を除き禁じられています。本書を代行業者等の第三者に依頼してスキャンやデジタル化することは、たとえ個人や家庭内での利用であっても一切認められておりません。朗読や読み聞かせ動画の無断での配信も著作権法で禁じられています。

岩崎書店・国松俊英・歴史人物の本

伊能忠敬 歩いてつくった日本地図

伊能忠敬は何を成し遂げた人なのか。人物像、伊能図、10回にわたる行程、測量に使った道具や地図の作り方などをわかりやすく解説。伊能忠敬に影響を与え、支えた人々も。

●

手塚治虫 マンガで世界をむすぶ

手塚治虫の子ども時代から、マンガ家になってアトムやレオを生みだした日のことなど、創作の秘密がいっぱい。世界のマンガをリードした「マンガの神様」の足跡をたどる。

●

宮沢賢治の鳥

賢治の作品に登場する鳥たちを、舘野鴻氏の細密画と文章でつづります。賢治の自然への思い、小さな生き物への愛情、野生の生き物と共存したいという願いを伝えます。

❶ P.22 鉄砲の上にとまっているよ

❷ P.28 ね…

❹ P.20 お坊さんたちのなかにいるよ

❺ 石垣にく…

❼ P.17 柿を食…

きみはもう見つけたか! かくれキャラクターを探せ!のこたえ